肆
一

LOST

AND

FOUND

遺憾收納

讀/寫/本

suncolor
三采文化

這本專屬於你的遺憾收納之書，
並不是為了要讓遺憾消失而存在，
而是暫時替你保管遺憾，
直到你好起來的那一天。

來不及
之前

事情從來都沒有真正的「結束」過，
以前是、以後也是……

Dear，

我們偶爾都會忍不住想：
「自己是不是錯過了與誰相戀的最好時間點？」

那個時空背景不是最好，但對兩個人來說卻是所能擁有的最好。
是當時所能被賦予的、最多的，僅止於如此。

所以我們才會遺憾，遺憾彼此的錯過，
可是，這樣的遺憾其實毫無意義。
就像是，
人生在大多數時候都不會有第二次的機會，時間只會一直往前。
所以我們只能偶爾這樣想，然後再打起精神前進。
就像人生大多數時候一樣。

人生的每一刻，其實都是最好的時刻，
不多不少，都是當時的最好，
學著珍惜當下，才不會在未來不斷去緬懷。

祝 好。

Dear，

年輕的你，
不那麼聰明，卻很真實。
你奮不顧身，一愛了就給上全部的自己，
即使傷痕累累，但卻最勇敢、也最完整。

現在的你，不那麼容易受傷了。
更成熟、也更有自信，
你成了人們口中的大人，
但不知怎麼地，你卻覺得不像自己。

似乎越隨著時間推移，
自己的某個部分也跟著脫落，
有時候，你會懷念那時的自己。

祝 好。

會落淚的人，
才是為情所困的人。

Dear，

深夜，
你傳了一首悲傷的情歌給我，說它很哀傷，
聽它卻不會感到難過的人，都是在愛裡面的人。

但我覺得，
聽了這首歌不會哭的人，不是因為在愛裡，
只是不陷在悲傷裡而已。
而會落淚的人，才是為情所困的人。

你覺得曲調代替你的眼淚，幫你宣洩，
我覺得音樂應該幫助你安穩，而不是讓你逃避現實。

明天，你的悲傷還是會在，
你可以再聽一首歌，但日子還是要靠自己過。

祝 好。

Dear，

偶爾你會傷心，為什麼你們要用這樣的方式分別。

你們曾經那麼好、那麼近，
但最後卻落得像是仇人一樣避不見面，
你們不是真的恨對方，而是因為愛過了，
所以才很難再提起，只要一眼就會招惹眼淚。

可是到後來，卻往往會感謝這樣的方式結束，
因為夠痛，才能好得更快。

你不會說之前跟他一起的時間都是浪費，
因為你在裡頭也有所獲得，
只是你再沒有更多的時間可以花費在他身上了。

你想要往前走了，你想要對自己好了。

其實所有的安排都是好的安排，
雖然當下常常不曉得，但只要夠久，就會知道。
接受緣分的安排，讓該經過的人經過，
這樣該留下的才不會錯過。

祝 好。

讓該經過的人經過，

這樣該留下的才不會錯過。

Dear，

有時候你會埋怨，自己懂得太晚。
可事實卻是，即使再重來一次，
當時你的仍是不會明白。

因為就是經歷過這一遭，你才學會了一些道理，
若沒有讓它經過，你並不知道它原來過得去。
許多事的發生都是來教你學會一些什麼，
沒有所謂的太早或太晚。

與其把時間拿來追悔，不如學習珍惜當下，
學習不要讓現在變成是將來的後悔，這樣就好。

祝 好。

不要急著有成果，
去嘗試、去努力，
看看最後會開出怎樣的花朵。

Dear，

在某些片刻，你會覺得到頭來所有都是白費力氣，
那些努力與堅持，最後還是落得一場空的下場。

可是，其實不是這樣的，
一場空或許是當下的結果，但並不是收穫。
不是馬上看得見的才叫獲得，那些過程中的不顯眼，
一定會在某個你不知道的時候，
悄悄地出現，給你回應、並幫助你。

不要心急，不要急著有成果，
去嘗試、去努力，看看最後會開出怎樣的花朵。

而所有的果，都是好的結果。

祝好。

Dear，

你早該明瞭，你的痛苦並不是因為他的離開，
而是來自於自己緊抓住回憶不放。

你的痛苦，其實是自己給的。

你忘了，一個人的愛不是戀愛，
而付出的愛，也不要去試著收回，
因為，「收回」本身也是一種愛的表現。

而你的快樂，早就被擺到第二順位，
你忘了自己原來可以開心。

其實，你可以快樂。

祝 好。

你的痛苦並不是因為他的離開，
而是來自於自己緊抓住回憶不放。

Dear，

愛情常常就是一連串的失去，
失去一部分的自己、一部分的規則，
最後再因為失敗而失去一部分或全部的信念。

然而，
卻不能因此而害怕再去付出，
因為愛一個人的目的不在於可以擁有他，
而是藉由這一連串的愛的表現，
建構起屬於自己的愛的信念，
然後，去實踐。

祝 好。

愛 一 個 人 的 目 的 ——

—— 不 在 於 可 以 擁 有 他 。

Dear，

後來你才懂，愛不是比較而來的。
永遠都會有更好的人出現，
愛情會永無止盡。

也因為，跟別人比，
得到的常常不是幸福，而是不幸。
而愛之所以是愛，
也不是因為他是最好，而是，他對你最好。

愛的時候，只管看著你的他，就可以。
專心，指的不只是不花心，還包含了自己的專注。
若是讓一些無謂，傷了感情，就太不值得。

你只能跟自己比，讓自己變得更好，
然後，愛得更好。

祝 好。

Dear，

不要因為發生了一件壞的事，就覺得以後都會不好；
不要因為談了一場不好的戀愛，就否定了自己的一切。

很多時候不是你不好，而是人生總是會遇到糟糕的事情。
它們總是不請自來。

所以，不要因為一些不好的事，
就認定自己的人生以後都會是什麼樣子了。

受了傷就好好療傷，累了就好好休息，
明天太陽還是會出來，雨停了就是晴天，
而你，永遠都能夠再好起來。

祝 好。

Dear，

我無法告訴你自己不相信的事情。

因為，愛不總是美好的，
愛常常就是會消失，常常就是會讓人遍尋不著。
也因為，愛有時候就是會讓人受傷，
而且受傷過一百次，也不表示可以不再痛。

但是，我卻可以告訴你我相信的事，
愛很難，但不去愛，更難。
愛情不完全是美好，但你可以讓自己變美好。

我想告訴你我相信的事，
你不一定要相信我的相信，但請你一定要找到自己的。
而這，或許有天就會是能幫助你的東西。

祝 好。

愛之所以是愛，

不是因為他是最好，

而是，他對你最好。

Dear，

人生可以沒有後悔，但後悔卻很難避免。

失去了會嚐到遺憾，
然後假想著若是當初，不斷懷念。
人生本來也就包含著緬懷，
就例如遺憾，它們是一起的。

但，也不要讓自己的人生只有懷念。

去埋怨、去碰撞、去痛，
去重新站起來又跌倒都好，
人生該有很多的滋味。
不要總是想著以前的可能，
要設法讓以後的日子過得有更多可能。

人生不能只是遺憾。

祝 好。

愛與遺忘
之間

沒什麼誰原不原諒誰的，
你只能在有限的時間裡頭「對得起自己」。

Dear，

或許，我們都不懂愛。

這是一種必然，
因為人很複雜，兩個複雜碰在一起，
就會變得不簡單。
愛情不是負負得正，更豈只是加減乘除。

也或許，
我們少數能努力的，就是去愛，
去對得起自己，然後期許也對得起另一個人。

但在對得起某個誰之前，
請先對得起自己。

祝 好。

Dear，

受了傷，
最可怕的不是他奪走了你的從前，
而是連帶讓你失去對未來的信念。

膝蓋上的疤，
可以是一個亟欲掩飾的痕跡，
但你也可以努力將它變成是一種紀念。
一種奮力前進的象徵。

祝 好。

膝蓋上的疤，

可以是一個亟欲掩飾的痕跡，

也可以努力將它變成是一種紀念。

　　「做自己」是一個圓，──
　　用溫柔包圍住自己，也圈住周遭的人。

Dear，

是否常常會覺得，做自己，其實是一件困難的事。

總會有耳語、有眼光，阻擋在你的前頭，讓人窒礙難行。
甚至有時，就連呼吸都無法自由。

可是，
自己追求的「做自己」又是什麼呢？所謂的「做自己」，
講的其實不是毫無節制、為所欲為，
而是一種伸展與舒適的狀態。

人無法離開群居生活，
但卻可以學習去篩選尖銳的言語、惡意的眼光，
然後不對他人回以同樣的行為。

「做自己」是一個圓，用溫柔包圍住自己，也圈住周遭的人。

如果只是像利刃總是割傷身旁的人，
這樣的「做自己」比較像是一種任性。
不要讓別人的言行決定自己的生活，
日子是自己在過，自己也是自己的，
在世界裡找到一種平衡，就是最好的做自己。

祝 好。

如果知道自己是為了成為「自己想要變成的樣子」而在努力著，別人說什麼就都不會在意了。

Dear，

現在的你是否會感到不快樂呢？
常常我們會覺得不開心，
大多是因為自己在做的事並不是自己真正喜歡的，
因為當自己打從心裡喜歡一件事物時，
就不會輕易被打倒與否定自己。

也就像是，會在意別人的眼光，
正好就說明了，自己是為了符合別人的期待而活著。

在意別人的話語之前，要記得先肯定自己，喜歡自己做的事。
如果知道自己是為了成為「自己想要變成的樣子」而在努力著，
別人說什麼就都不會在意了。

祝好。

Dear，

有些時候，
你並不明白一個人為什麼會討厭自己。

你並不認識他、你們沒有說過話，
但他卻對你懷有敵意，甚至會說你的不是。
你百思不得其解，也試圖釐清或解釋誤會，但都未果。

後來你才發現，並不是全部的人都是好人，
他們就只是想討厭你而已。

他們討厭的原因，
並不是來自於你，而是他們自己的心。

對每個人都要和善禮貌，
但不要勉強每一個人都能做到，
離他們遠一點，就是最好的自我保護。

祝 好。

對每個人都要和善禮貌，──
但不要勉強每一個人都能做到，
── 離他們遠一點，
就是最好的自我保護。

Dear，

你也會忍不住詢問著自己：
「若真實地做自己的話，是否就會被討厭？」
總是如此擔心著，小心翼翼著。

可是啊，做真實的自己，或許會失去一些朋友，
然而相反地，也可能會得到另一些人的喜愛。

所以請不要擔心，做真實的自己就會失去幸福。
而可以確定的是，先喜歡自己了，
別人對自己的喜歡也才會真實。

祝 好。

Dear，

但也不要太勉強，你夠努力了啊。

請不要把「我們一定可以」、「我們一定沒問題」當成信仰，
我們都是凡人啊，都有做不到的時候，都有勉強不了的時候。

不是你不好，也不是他不對，
你們都夠努力了，只是你們不適合。

繼續勉強著，
並不是你為難了對方，而是為難了自己。

常常大部分的難題都是，
你要自己先鬆手了，事情才好了。

你需要的不是一直努力，而是知道何時該停止努力。

祝 好。

Dear，

我們都是一樣的。

難過的時候，叫自己不准哭；
不小心落淚的時候，罵自己不爭氣。
但是，再悲傷也請不要輕視自己；
再委屈也請不要讓自己瞧不起自己。

天黑就開燈、天冷了就加衣，沮喪時用雙臂擁抱自己。

要努力學習善待自己，去找到對自己好的方式，
每個人都要學會自己照顧自己。

我們都是一樣的。

祝 好。

要努力學習善待自己，──
去找到對自己好的方式，
每個人都要學會自己照顧自己。

Dear，

人最難的，不是原諒別人，而是原諒自己。

別人給的傷痛都可以痊癒，
但自己給自己的懲罰，卻是永遠都結不了的痂。
任它們總是痛著、疼著，你藉此來提醒自己犯的錯，
只要傷還看得到，你就不會忘記教訓。

可是，你教訓的其實是自己，不是別人。

人的一輩子不長不短，只足夠你拿來好好對待自己，
受了傷、學到了，就該放下。
所謂的「放下」，不一定是單指某個人或事，
而不再執著那顆自己受了傷的心。

人的際遇很難說，沒有怎樣才是對的，
以前認為是錯的，也可能因為時間而成為對的。

不要設限自己只能怎樣，
只要是可以讓你變好的，都是對的選擇。

祝 好。

Dear me，

謝謝過去的自己，
不管好的、壞的，甚至是損壞的，
或許不是現在，而是將來，
希望在不遠的以後終能開花結果。

不去否定從前，帶著它的給予一起往未來走，
從前都不再只是經過，而是經歷。

往後還是會犯錯、還是會不知所措，
但要努力不要讓害怕擋在未來前面。

給予別人愛，也記得繼續愛自己；
不去惦記悲傷，努力牢記溫柔；
不以完美為好，而是以內心安適為想望。

祝好。

不去否定從前，——
帶著它的給予一起往未來走，——
從前都不再只是經過，而是經歷。

Dear，

還不確定自己會變成什麼樣子，
還不確定自己是不是做得到，
可是我們都是這樣一邊懷抱著困惑，一邊慢慢前進。

偶爾會走錯路、有時會繞了一圈又回到原點，
常常覺得浪費了什麼，可是其實也收穫到了什麼。

要相信自己來到這個世界上一定有其原因，
自己一定有獨特的地方，試著去摸索、去嘗試，
不要老是羨慕別人，不要總是模仿別人。

你只要成為你自己就好。
就這樣去試看看吧。

祝 好。

不再失落的
回憶

每個人都是互相影響的，
重要的是，
對自己來說什麼才是「真正重要」的事物。

Dear，

難過的時後先開始笑、
傷心的時候說著「我很好」、
受到打擊的時候學會說「沒事了」……

人生總難免遭遇一次次的挫折，
可是我們都是這樣才得以成長。

受傷沒關係、沮喪也無所謂，
只要能夠擁有互相珍惜的朋友，
失落的時候有人可以說話就好，
互相陪伴、再一起往前進。

學會笑著面對不如意，才是堅強的方式。

祝 好。

Dear，

我們總容易以為，遠方會有個誰在等候，
更好的、更美的，更憧憬的，
所以才會不斷涉險、不斷翻越，
也所以才會老是忘記已經在原地等候的人。

但是，若要就此放下一切不去聞問，
也只會是另一種傷心。

更也許就是非得要經過一次巨大的後悔，
或者為時已晚、可能悔不當初，我們才終能學會珍惜。

但願我們都能在還回得了頭的時候清醒，
或是，已經辜負了別人，就再不要辜負自己。

但願我們都能學會，不要去後悔已經做的決定，
也不要去追憶未曾發生的事。

祝好。

但願我們都能學會，

不要去後悔已經做的決定，

也不要去追憶未曾發生的事。

Dear，

你一直想著，現在若放棄，就所有付出都白費了；
但你卻忘了，繼續堅持下去，將會失去更多。

在很多時候，堅持是美德；
但在某些時候，放棄才是獲得。

握緊的雙手其實裡面什麼都沒有，
放開了，你才看得見自己所擁有的。

時間教會你該努力，
但也在告訴你，適當時候就該收手。

祝 好。

時間教會你該努力，
但也告訴了你，
適當時候就該收手。

Dear，

「逞強」跟「接受」是兩回事，我也同意。

逞強，比較像是「自己並不認同，卻嘴上說對」；
但如果是發自內心同意了、理解了，就不是逞強，
而是一種了然。一種對自己好。

每個人都有自己看待事情的方式，
有自己前進的方式，不管那是什麼，
只要是可以讓自己更好，就可以。

你要找到自己的方法，
去對自己好、讓自己更好，就很好。

祝好。

Dear，

人生最難的其中一件事，
就是在失敗一百次之後，仍然懷抱著希望。

如果是這樣的話，請試著看看那些成功的人吧。
總是有人能夠站起來，成功並非是妄想，只是自己用錯了方法。

不要只是看著失敗，而是去感受失敗。

感受它能夠帶給你除了挫折之外的情緒是什麼？
從裡頭試著釐清原因，也更是釐清自己的心情。
不要讓失敗只是失敗，而讓它可以是一種通往夢想的路途。

以後的困難還是會很多，
但要用什麼心情往下走，卻是自己可以決定。

祝好。

Dear，

目標只有一個，但抵達的途徑卻有很多，
有時候我們會過不去，
不是因為沒有路了，而是忘記該轉彎了。

當下解不開的難題，
或許本來就不是個問題，只是自己的偏執。

常常我們都會放大自己的悲傷，
其實事情沒有那麼難，只是花了太多時間在傷心。

事情都會好的、會沒事的，
擦乾眼淚之後，別忘了要繼續往前走。

祝 好。

好起來的
那一天

遺憾，
其實是為了讓我們
更珍惜「現在」而存在。

有天，——
你會發現自己已經好了，
終於好了。
雨不再下了。——

Dear，

在某一個不經意的時候，
可能是一場大雨、或是一個氣味，
你會想起某段曾經，然後驚訝自己已經遺忘了。

就像是不小心經過了某個餐廳，
你會想起這裡有你們共同的一段回憶，
跟著也發覺自己終於不再刻意避開了。

原來，
所謂的「釋懷」是指在面對過去時能夠面不改色了。

遺忘，常常不是聲嘶力竭，而是一種靜悄悄，
等你發現的時候，已經發生了。

有天，你會發現自己已經好了，
終於好了。雨不再下了。

祝 好。

Dear，

有人說：
「要讓一個強悍的人變脆弱，就是讓他去談一場戀愛。」

我說：
「要讓一個人變堅強的方法，就是擁有一個想要保護的人。」

愛情可以是什麼面貌，端看你怎麼看待它；
你想要什麼樣的愛情，就得自己先那樣去想。

祝 好。

Dear，

在許多時候，
我們會執著於做出對的決定，因而觀望、等待。

可是，世界上的事情卻常常是對錯難以分辨，
把它擺到時間面前更充滿未知。

不要一直等待著，去試著做看看，
求讓它發生、讓它開花結果。
往前走吧，看看會發現什麼樣的風景。

寧願去經歷過，也不要虛度過。
寧願踏實地失敗，也不要將來的後悔。

祝 好。

用溫柔的眼神去看待世界，
世界也會這樣回報你。

Dear，

有時候，
你花了很多時間與力氣去努力，
只是為了成就短短的一個片刻。

然而，或許那樣的片刻跟自己預期的並不相同，
也或者是過程常常漫長，會讓自己覺得不值得。

然而，並不是所有的事都是結果論，
而是要我們去享受過程，然後再做出總結。
而總結並沒有好壞，它只是一個完結，
一個事情的告別與紀念。

一件事值不值得因人而異，
但希望我們會很高興自己去完成了。
期許我們都能懷抱著實踐自己的夢想而生活著，
而不是求事情只有好沒有壞。

用溫柔的眼神去看待世界，世界也會這樣回報你。

祝好。

Dear，

很多有道理的話，自己不一定受用，
那是因為沒有真心地接受，
更因為不是所有的辦法都能適用在每個人的身上，
因為你跟他並不完全相同。

但是也不要去否定那樣的話，自己不適合的，
不表示別人無法從裡頭獲得幫助。
重要的是，他們找到讓自己過得好的方法了，
你可以選擇參考，
若不行，至少讓它可以提醒你好起來的可能。

他們不一定是對的，方法也不一定是最好的，
但他們找到讓自己快樂起來的方法了，
你也要找到你的，這點最是重要。

祝 好。

Dear，

原來長大後，對於「遺憾」的定義也會改變。

以前認為所謂的遺憾，是指自己錯過的人、來不及的事；
但現在則會認為，其實是指「自己做得到，但不夠努力的事」。

對於那些自己至今仍無法做到的事，已經不會感到遺憾了。

再喜歡一個人，能力也有限。
所以再不會感到可惜，人生可以做的事很多，
所以再也不要為自己做不到的事而懊悔了。

去努力、去試看看，但過了就讓他走。
日子還是要過，人沒有那麼多的錯過與遺憾。

大部分的錯過，其實都只是個錯。
過好每一個現在，其實就是過好自己的人生。

祝 好。

試著跟遺憾和好吧，

試著為它少傷心一點吧，

這樣就很好。

你會很好。